하루 한 장 75일
진즈 인쇄

교과 연산

A0

초1 <수특강> 100까지의 수

변화를 정확히 이해해야 합니다.

수학의 기본이면서 이제는 필수가 된 연산 학습, 그런데 왜 우리 아이들은 많은 학습지를 풀고도 학교에 가면 연산 문제를 해결하지 못할까요?

지금 우리 아이들이 학습하는 교과서는 과거와는 많이 다릅니다. 단순 계산력을 확인하는 문제 대신 다양한 상황을 제시하고 상황에 맞게 문제를 해결하는 과정을 평가합니다. 그래서 단순히 계산하여 답을 내는 것보다 문장을 이해하고 상황을 판단하여 스스로 식을 세우고 문제를 해결하는 복합적인 사고 과정이 필요합니다.

그림을 보고 상황을 판단하는 능력, 그림을 보고 상황을 말로 표현하는 능력, 문장을 이해하는 능력 등 상황 판단 능력을 길러야 하는 이유입니다.

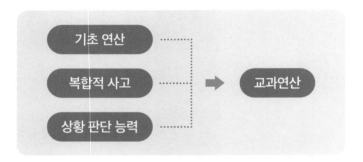

연산 원리를 학습함에 있어서도 대표적인 하나의 풀이 방법을 공식처럼 외우기만 해서는 지금의 연산 문제를 해결하기 어렵습니다. 연산 학습과 함께 다양한 방법으로 수를 분해하고 결합하는 과정, 즉 수 자체에 대한 학습도 병행되어야 합니다.

교과연산은 연산 학습과 함께 수 자체를 온전히 학습할 수 있도록 단계마다 '수특강'을 구성하고 있습니다.

계산은 문제를 해결하는 하나의 과정으로서의 의미가 큽니다.

학교에서 배우게 될 내용과 직접적으로 관련이 있는 교과연산으로 가장 먼저 시작하기를 추천드립니다.

요즘 연산은 교과 연산입니다.

"계산은 그 자체가 목적이 아닙니다. 문제를 해결하는 하나의 과정입니다."

하루 **한** 장, 75일에 완성하는 **교과연산**

한 단계는 총 4권으로 수를 학습하는 0권과 연산을 학습하는 1권, 2권, 3권으로 구성되어 있습니다.

수특강

수 영역은 연산과 뗄래야 뗄 수 없습니다. 수 영역을 제대로 학습하지 않고 연산만 한다면 연산 원리를 이해하는 데 부족함이 있습니다.
교과연산은 연산 학습을 하면서 반드시 필요한 수 영역을 수특강으로 해결합니다.

교과연산

기초 연산도 합니다. 연산 원리를 이해하고 계산 연습도 합니다. 그에 더해서 교과연산은 다양한 상황 문제를 제시하여 상황에 맞는 식을 세우고 문제를 해결하는 상황 판단 능력을 길러줍니다.

"연산을 이해하기 위해서는 수를 먼저 이해해야 합니다."

원리는 기본, 복합적 사고 문제까지 다루는 교과연산

원리

수와 연산의 원리를
이해하고 연습합니다.

복합적 사고

연산 원리를 이용하여
다양한 소재의 복합적
문제를 해결합니다.

상황 판단 문제

문장 이해력을 기르고
상황에 맞는 식을 세워
문제를 해결합니다.

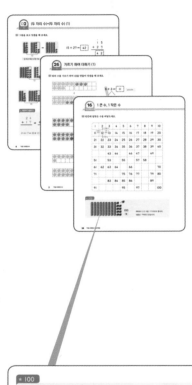

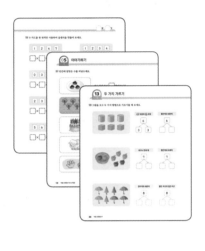

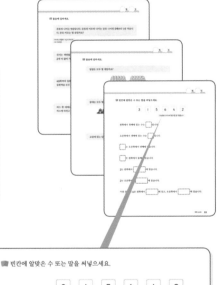

[체크 박스]
문제를 해결하는 데 도움이
되는 방향을 제시합니다.

■ 빈칸에 알맞은 수 또는 말을 써넣으세요.

| 3 | 1 | 5 | 6 | 4 | 2 |

순서수와 두 카드에 적힌 수를 잘 구분합니다.

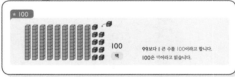

[개념 포인트]
꼭 필요한 기본 개념을
설명합니다.

99보다 1 큰 수를 100이라고 합니다.
100은 백이라고 읽습니다.

"교과연산은 꼬이고 꼬인 어려운 연산이 아닙니다.
일상 생활 속에서 상황을 판단하는 능력을 길러주는 연산입니다."

하루 **한** 장, **75**일 집중 완성 교과연산 **묻고 답하기** Q&A

Q1 왜 교과연산인가요?

지금의 교과서는 과거의 교과서와는 많이 다릅니다. 하지만 아쉽게도 기존의 연산학습지는 과거의 연산 학습 방법을 그대로 답습하고 변화를 제대로 반영하지 못하고 있습니다. 교과연산은 교과서의 변화를 정확히 이해하고 체계적으로 학습을 할 수 있도록 안내합니다.

Q2 다른 연산 교재와 어떻게 다른가요?

교과연산은 변화된 교과서의 핵심 내용인 상황 판단 능력과 복합적 사고력을 길러주는 최신 연산 프로그램입니다. 또한 연산 학습의 바탕이 되는 '수'를 수특강으로 다루고 있어 수학의 기본이 되는 연산학습을 체계적으로 학습할 수 있습니다.

Q3 학교 진도와는 맞나요?

네, 교과연산은 학교 수업 진도와 최신 개정된 교과 단원에 맞추어 개발하였습니다.

Q4 단계 선택은 어떻게 해야 할까요?

권장 연령의 학습을 추천합니다.
다만, 처음 교과 연산을 시작하는 학생이라면 한 단계 낮추어 시작하는 것도 좋습니다.

Q5 '수특강'을 먼저 해야 하나요?

'수특강'을 가장 먼저 학습하는 것을 권장합니다. P단계를 예로 들어보면 P0(수특강)을 먼저 학습한 후 차례대로 P1~P3 학습을 진행합니다. '수특강'은 각 단계의 연산 원리와 개념을 정확하게 이해하고 상황 문제를 해결하는 데 디딤돌이 되어줄 것입니다.

이 책의 차례

1주차 50까지의 수 (1)

01강 몇십

수를 세어 쓰고 알맞게 이어 보세요.

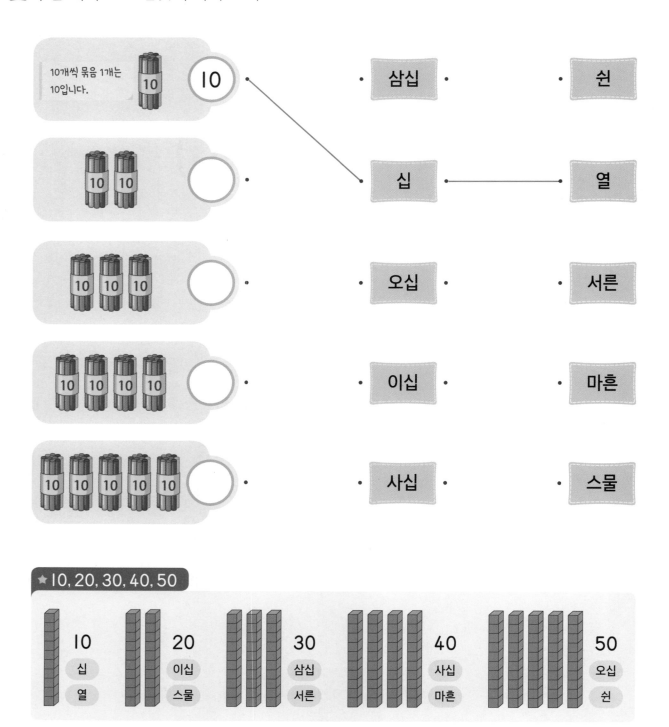

📖 수를 세어 쓰고 두 가지로 읽어 보세요.

쓰기 ☐

읽기 ☐ , ☐

10개씩 묶음 3개는 30입니다.

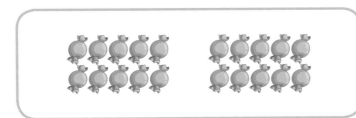

쓰기 ☐

읽기 ☐ , ☐

쓰기 ☐

읽기 ☐ , ☐

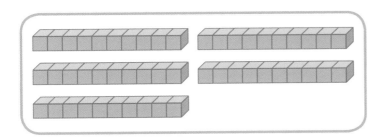

쓰기 ☐

읽기 ☐ , ☐

🔖 수를 세어 쓰고 알맞게 이어 보세요.

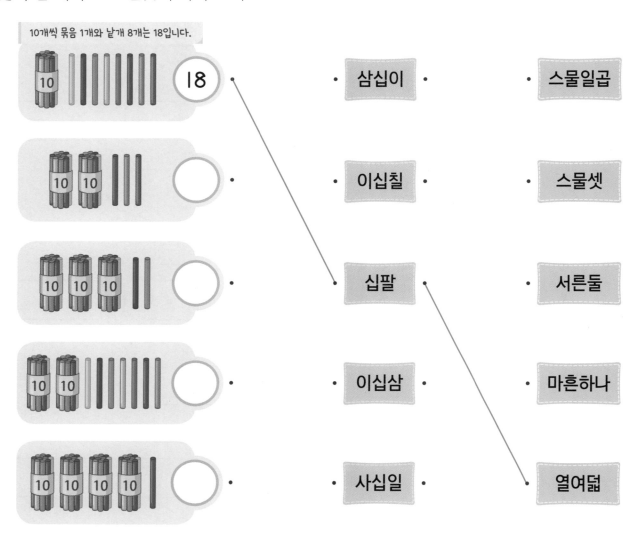

★ 몇십몇

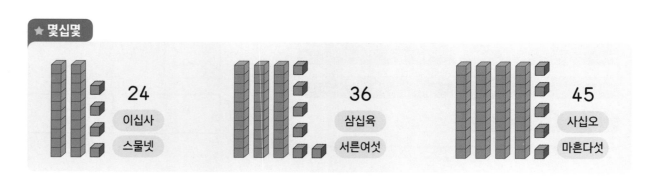

📚 수를 세어 쓰고 두 가지로 읽어 보세요.

쓰기 ☐

읽기 ☐ , ☐

10개씩 묶음 2개와 낱개 6개는 26입니다.

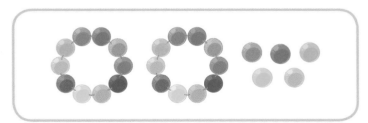

쓰기 ☐

읽기 ☐ , ☐

쓰기 ☐

읽기 ☐ , ☐

쓰기 ☐

읽기 ☐ , ☐

10개씩 묶음과 낱개 (1)

■ 빈칸에 알맞은 수를 써넣으세요.

10개씩 묶음 2개와 낱개 3개는 [   ]입니다.

10개씩 묶음 [   ]개와 낱개 [   ]개는 [   ]입니다.

10개씩 묶음 4개와 낱개 1개는 [   ]입니다.

10개씩 묶음 2개와 낱개 9개는 [   ]입니다.

10개씩 묶음 5개는 [   ]입니다.

📘 빈칸에 알맞은 수 또는 말을 써넣으세요.

수	10개씩 묶음	낱개	읽기	
16	1	6	십육	열여섯
22		2	이십이	
	3	5		
47				

수	10개씩 묶음	낱개	읽기	
38		8	삼십팔	
24	2			
31		1		
				마흔아홉

■ 수를 세어 보세요.

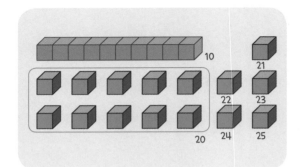

낱개가 10개보다 많으면 낱개를 10개씩 묶은 다음 셉니다.

`25`

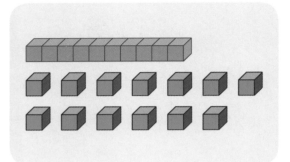

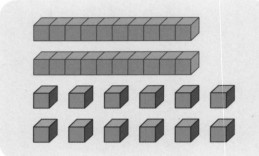

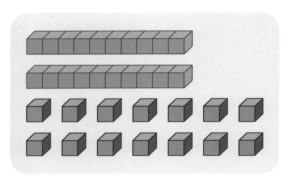

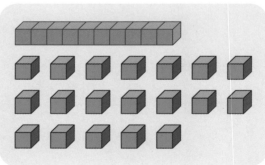

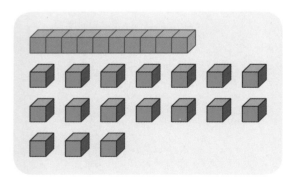

■●는 몇 개인지 세어 보세요.

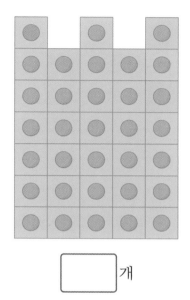

☐ 개

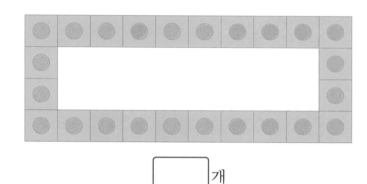

☐ 개

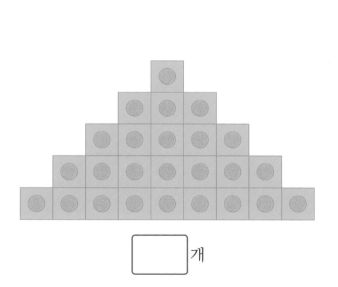

☐ 개

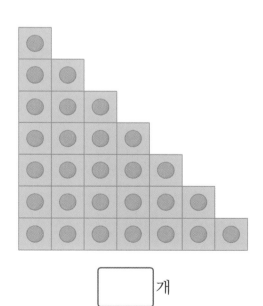

☐ 개

📘 물음에 답하세요.

오이가 10개씩 묶음이 3개, 낱개가 7개 있습니다.
오이는 모두 몇 개일까요?

37 개

찬영이는 색종이를 10장씩 2묶음과 낱개 5장을 가지고 있습니다. 찬영이가 가진 색종이는 모두 몇 장일까요?

___ 장

사과가 10개씩 들어 있는 상자가 4상자 있습니다.
사과는 모두 몇 개 있을까요?

___ 개

책이 10권씩 들어 있는 상자가 1상자, 낱개로 3권 있습니다.
책은 모두 몇 권일까요?

___ 권

사탕이 한 봉지에 10개씩 들어 있습니다. 세 봉지에 들어 있는
사탕은 모두 몇 개일까요?

___ 개

■ 빈칸에 알맞은 수를 써넣으세요.

달걀이 30개 있습니다. 달걀을 10개씩 상자에 담으면 모두 ☐ 상자 나옵니다.

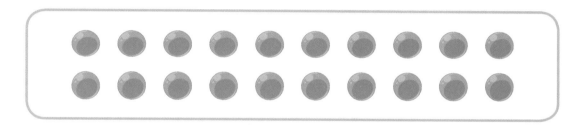

구슬이 20개 있습니다. 구슬을 10개씩 상자에 담으면 모두 ☐ 상자 나옵니다.

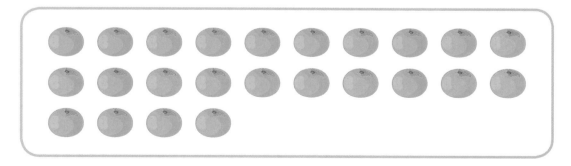

귤이 24개 있습니다. 귤을 10개씩 상자에 담으면

모두 ☐ 상자 나오고 귤은 ☐ 개 남습니다.

블록으로 다음 모양을 몇 개 만들 수 있는지 빈칸에 알맞은 수를 써넣으세요.

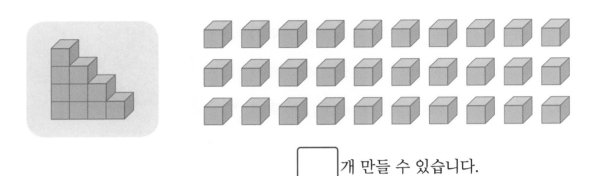

　□ 개 만들 수 있습니다.

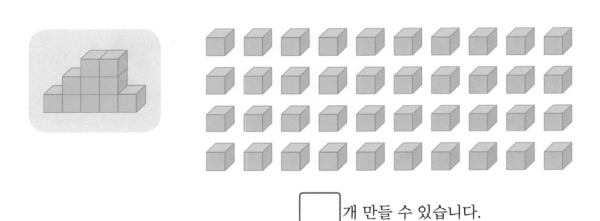

　□ 개 만들 수 있습니다.

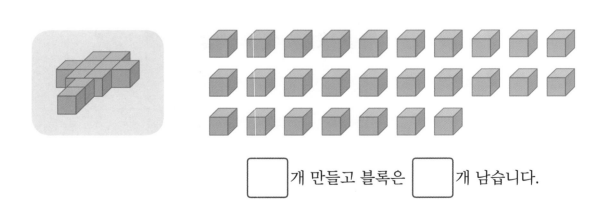

　□ 개 만들고 블록은 □ 개 남습니다.

2주차 50까지의 수 (2)

순서대로 쓰기

📖 순서에 맞게 수를 써 보세요.

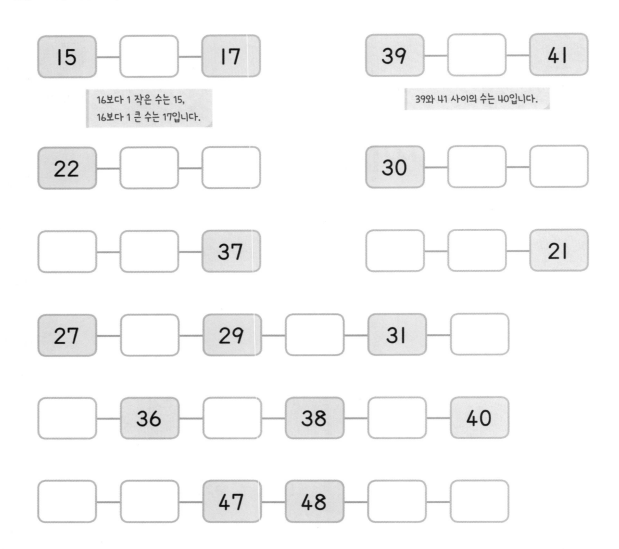

| 15 | | 17 |

> 16보다 1 작은 수는 15,
> 16보다 1 큰 수는 17입니다.

| 39 | | 41 |

> 39와 41 사이의 수는 40입니다.

| 22 | | |

| 30 | | |

| | | 37 |

| | | 21 |

| 27 | | 29 | | 31 | |

| | 36 | | 38 | | 40 |

| | | 47 | 48 | | |

★ 50까지 수의 순서

1	2	3	4	5	6	7	8	9	10
11	12	13	14	15	16	17	18	19	20
21	22	23	24	25	26	27	28	29	30
31	32	33	34	35	36	37	38	39	40
41	42	43	44	45	46	47	48	49	50

작은 수부터 순서대로 써 보세요.

(19) (21)
(23) (20) (22)

(19)—(20)—( )—( )—( )

(37) (40)
(39) (36) (38)

( )—( )—( )—( )—( )

(46) (48)
(49) (47) (45)

( )—( )—( )—( )—( )

(30) (29)
(28) (32) (31)

( )—( )—( )—( )—( )

■ 규칙을 찾아 순서에 맞게 빈칸에 알맞은 수를 써넣으세요.

1	2	3	4	5
6		8	9	
11	12			15
		18		20
	22	23		

26	27		29	30
		33	32	31
	37	38		40
45	44		42	41
	47			

		15		25
4		14	19	24
3			18	
2	7	12		22
1	6	11		

26	27	28	29	
41		43		31
		50	45	32
39		47		33
	37	36	35	

📘 주어진 수가 들어가는 칸을 찾아 ○표 하고 주어진 수를 써넣으세요.

15	17	24

41	46	49

1	2	3	4	5
10	9	8	7	6
11				(15)

25			38	37
26				36
27				35
28				34
29	30	31	32	33

26	37	43	48

1	5	9	13						
2	6	10	14						
3	7	11	15						
4	8	12	16						

🔷 수만큼 색칠하고 빈칸에 알맞은 수를 써넣으세요.

⟨27⟩

⟨21⟩

| 27 | 은 | 21 | 보다 큽니다. |

| | 은 | | 보다 작습니다. |

10개씩 묶음이 같으면
낱개가 많은 수가 큰 수입니다.

⟨38⟩

⟨42⟩

| | 는 | | 보다 큽니다. |

| | 은 | | 보다 작습니다. |

10개씩 묶음이 더 많은 수가
큰 수입니다.

📘 더 큰 수에 ◯표 하세요.

| 20 | (30) |

30은 20보다 큽니다.
20은 30보다 작습니다.

| 35 | 45 |

| 49 | 19 |

| 35 | 32 |

| 40 | 41 |

| 24 | 26 |

| 33 | 28 |

| 21 | 15 |

| 50 | 49 |

| 27 | 30 |

| 14 | 41 |

| 34 | 23 |

| 43 | 36 |

| 25 | 42 |

| 39 | 45 |

가장 큰 수

가장 큰 수에 ◯표, 가장 작은 수에 △표 하세요.

| 26 | △20 | ◯29 |

26: 10개씩 묶음 2개, 낱개 6개
20: 10개씩 묶음 2개
29: 10개씩 묶음 2개, 낱개 9개

| 38 | 35 | 32 |

| 40 | 17 | 43 |

| 32 | 42 | 12 |

| 26 | 34 | 41 |

| 50 | 45 | 35 |

| 32 | 25 | 29 |

| 19 | 24 | 33 |

| 38 | 40 | 34 |

| 32 | 26 | 36 |

■ 작은 수부터 순서대로 써 보세요.

| 36 | 31 | 38 |

(, ,)

| 25 | 15 | 45 |

(, ,)

| 11 | 27 | 32 |

(, ,)

| 30 | 41 | 26 |

(, ,)

| 35 | 13 | 48 | 20 | 50 |

(, , , ,)

| 30 | 43 | 26 | 16 | 39 |

(, , , ,)

10강 보다 큰 수, 보다 작은 수

■ 조건에 맞는 수에 모두 색칠해 보세요.

22보다 큰 수

─20─21─22─23─24─

> 22보다 큰 수에는 22가 포함되지 않습니다.

31보다 작은 수

─28─29─30─31─32─

10개씩 묶음 1개와
낱개 9개인 수보다 큰 수

─18─19─20─21─22─

> 10개씩 묶음 1개와 낱개 9개인 수는 19입니다.

10개씩 묶음 3개와
낱개 2개인 수보다 작은 수

─30─31─32─33─34─

45보다 크고 50보다 작은 수

─41─42─43─44─45─46─47─48─49─50─

37보다 크고 43보다 작은 수

─35─36─37─38─39─40─41─42─43─44─

조건에 맞는 수에 모두 ○표 하세요.

31	33	35	37	40

43	36	40	39	45

25	28	31	29	27

35	29	36	41	34

25	32	34	30	27

물음에 답하세요.

우주는 색종이를 18장 가지고 있고 서아는 21장 가지고 있습니다. 색종이를 더 많이 가진 사람은 누구일까요?

(   )

진원이는 사탕을 10개씩 묶음 2개와 낱개 7개를 가지고 있고 윤수는 30개 가지고 있습니다. 사탕을 더 많이 가지고 있는 사람은 누구일까요?

(   )

지우는 수 38을 말했고 연서는 40보다 1 작은 수를 말했습니다. 더 큰 수를 말한 사람은 누구일까요?

(   )

다예는 과자를 24개보다 1개 더 많이 먹었고 수호는 25개보다 1개 적게 먹었습니다. 과자를 더 많이 먹은 사람은 누구일까요?

(   )

빈칸에 알맞은 수를 써넣으세요.

10개씩 묶음이 **6** 개이므로 **60** 입니다.

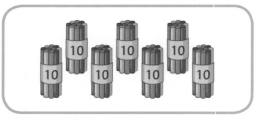

10개씩 묶음이 ☐ 개이므로 ☐ 입니다.

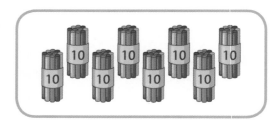

10개씩 묶음이 ☐ 개이므로 ☐ 입니다.

10개씩 묶음이 ☐ 개이므로 ☐ 입니다.

★ 60, 70, 80, 90

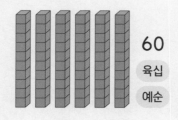

60
육십
예순

70
칠십
일흔

🟦 수를 세어 쓰고 두 가지로 읽어 보세요.

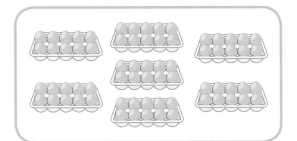

쓰기 [　　　]

읽기 [　　　] , [　　　]

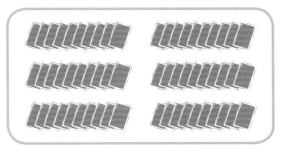

쓰기 [　　　]

읽기 [　　　] , [　　　]

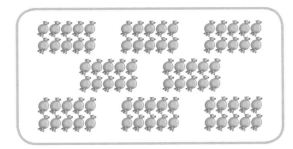

쓰기 [　　　]

읽기 [　　　] , [　　　]

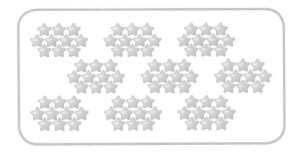

쓰기 [　　　]

읽기 [　　　] , [　　　]

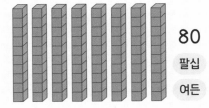

80
팔십
여든

90
구십
아흔

12강 몇십몇

🪧 빈칸에 알맞은 수를 써넣으세요.

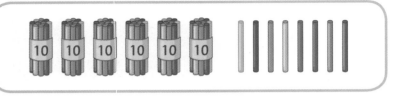

10개씩 묶음 [6]개와 낱개 [8]개는 [ ]입니다.

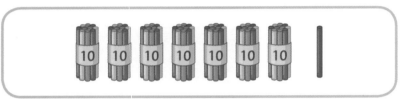

10개씩 묶음 [ ]개와 낱개 [ ]개는 [ ]입니다.

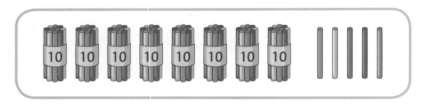

10개씩 묶음 [ ]개와 낱개 [ ]개는 [ ]입니다.

★ 몇십몇

73
칠십삼
일흔셋

10개씩 묶음 **7**개와 낱개 **3**개를 73이라고 합니다.

🖼️ 수를 세어 쓰고 두 가지로 읽어 보세요.

쓰기 ▢

읽기 ▢ , ▢

쓰기 ▢

읽기 ▢ , ▢

쓰기 ▢

읽기 ▢ , ▢

쓰기 ▢

읽기 ▢ , ▢

13강 수 읽기

빈칸에 알맞은 수 또는 말을 써넣으세요.

10개씩 묶음 6개와 낱개 4개	64	육십사	예순넷
10개씩 묶음 5개와 낱개 8개	58	오십팔	
10개씩 묶음 7개와 낱개 3개			일흔셋
10개씩 묶음 8개와 낱개 5개	85		
10개씩 묶음 9개와 낱개 2개		구십이	
10개씩 묶음 7개와 낱개 9개	79		

📖 다른 것 하나에 ✕표 하세요.

62	여든	56
예순둘	70	예순다섯
육십삼	칠십	오십육

칠십팔	99	팔십삼
78	구십	팔십사
팔십칠	구십구	83

예순하나	97	예순다섯
81	아흔일곱	일흔다섯
여든하나	일흔아홉	65

📖 빈칸에 알맞은 수를 써넣으세요.

바구니에 사과를 10개씩 담았더니 **5** 바구니입니다.

사과는 모두 ⬜ 개입니다.

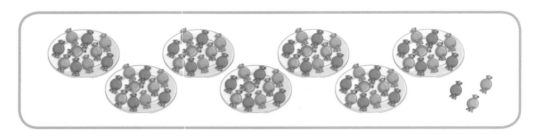

사탕을 접시에 10개씩 담았더니 ⬜ 접시이고 ⬜ 개 남았습니다.

사탕은 모두 ⬜ 개입니다.

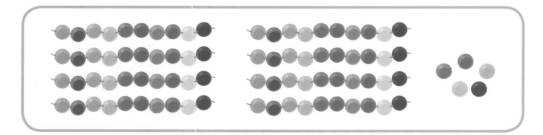

구슬을 10개씩 꿰었더니 ⬜ 묶음 나오고 ⬜ 개 남았습니다.

구슬은 모두 ⬜ 개입니다.

빈칸에 알맞은 수 또는 말을 써넣으세요.

수	10개씩 묶음	낱개	읽기	
58	5	8	오십팔	쉰여덟
71	7		칠십일	
95		5		
	8	7		

수	10개씩 묶음	낱개	읽기	
63	6		육십삼	
86		6		
92	9			아흔둘
			칠십사	

■ 수를 세어 써 보세요.

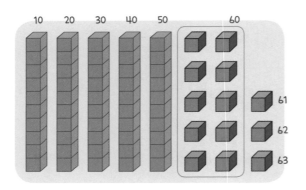

낱개가 10개보다 많으면 낱개를
10개씩 묶은 다음 셉니다.

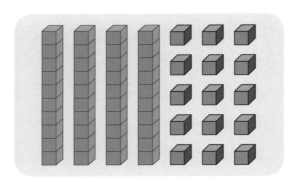

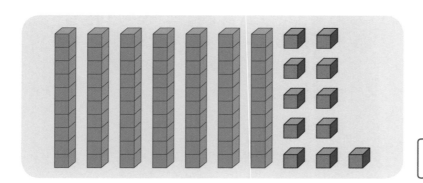

📖 수를 세어 써 보세요.

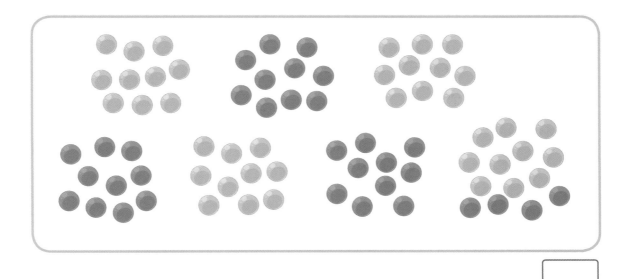

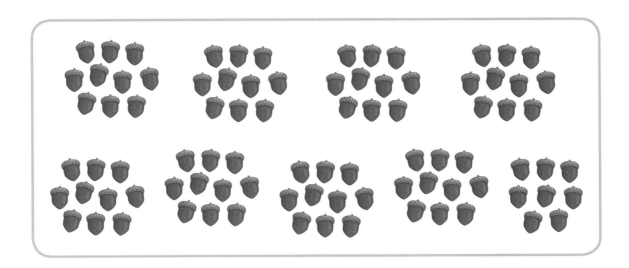

풍선과 구슬의 수를 세어 써 보세요.

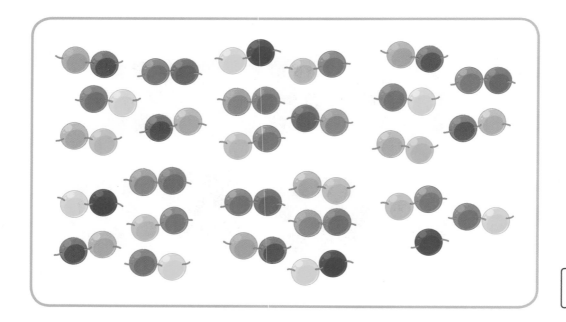

■ 빈칸에 알맞은 수를 써넣으세요.

1	2	3	4	5	6	7	8	9	10
11	12	13	14	15	16	17	18	19	20
21	22	23	24	25	26	27	28	29	30
31	32	33	34	35	36	37	38	39	40
		43	44		46	47		49	
51		53		55		57	58		
61	62	63	64		66				70
71				75	76	77		79	80
		83	84	85	86			89	
91				95		97			100

(12 기준: ↑ 10 작은 수, ← 1 작은 수, → 1 큰 수, ↓ 10 큰 수)

★ 100

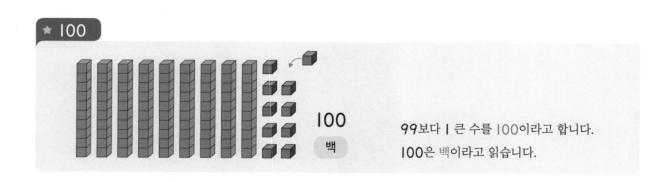

100
백

99보다 1 큰 수를 100이라고 합니다.
100은 백이라고 읽습니다.

■ 빈칸에 알맞은 수를 써넣으세요.

53보다 1 큰 수는 54 ,
1 작은 수는 52 입니다.

65보다 1 큰 수는 ☐ ,
1 작은 수는 ☐ 입니다.

70보다 1 큰 수는 ☐ ,
1 작은 수는 ☐ 입니다.

99보다 1 큰 수는 ☐ ,
1 작은 수는 ☐ 입니다.

57보다 10 큰 수는 ☐ ,
10 작은 수는 ☐ 입니다.

81보다 10 큰 수는 ☐ ,
10 작은 수는 ☐ 입니다.

73과 75 사이의 수는
☐ 입니다.

97과 100 사이의 수는
☐ , ☐ 입니다.

■ 빈칸에 알맞은 수를 써넣으세요.

50 — 51 — 52 — 53

58 — ☐ — ☐ — 61

> 51보다 1 작은 수는 50,
> 52보다 1 큰 수는 53입니다.

73 — ☐ — 75 — ☐

☐ — 80 — ☐ — 82

☐ — 68 — 69 — ☐

62 — ☐ — ☐ — 65

97 — ☐ — 99 — ☐

☐ — 79 — ☐ — 81

57 — ☐ — 59 — ☐ — ☐ — ☐ — 63

☐ — 86 — 87 — ☐ — 89 — ☐ — ☐

☐ — ☐ — 92 — 93 — ☐ — ☐ — 96

알맞은 곳을 찾아 이어 보세요.

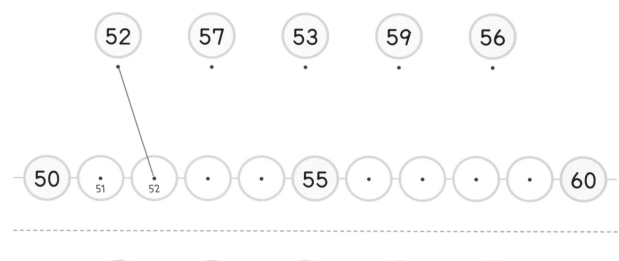

거꾸로 쓰기

빈칸에 알맞은 수를 써넣으세요.

63 — 62 — 61 — 60

57 — ☐ — ☐ — 54

72 — ☐ — 70 — ☐

☐ — 85 — ☐ — 83

☐ — 68 — 67 — ☐

80 — ☐ — ☐ — 77

91 — ☐ — 89 — ☐

☐ — 99 — ☐ — 97

64 — ☐ — ☐ — 61 — ☐ — ☐ — 58

☐ — 80 — 79 — ☐ — ☐ — 76 — ☐

☐ — ☐ — 97 — 96 — 95 — ☐ — ☐

알맞은 곳을 찾아 이어 보세요.

69 64 66 61 63

70 · · · · 65 · · · · 60

- - - - - - - - - - - - - - - -

93 91 92 86 88

95 · · · · 90 · · · · 85

- - - - - - - - - - - - - - - -

79 81 80 75 76

83 · · · · 78 · · · · 73

■ 물음에 답하세요.

민준이는 어제 줄넘기를 **60**번 넘었고 오늘은 어제보다 **1**개 더 넘었습니다.
민준이는 오늘 줄넘기를 몇 번 넘었을까요?

60보다 1 큰 수는 61입니다.

번

진우는 은행에서 번호표를 **89**번 다음으로 뽑았습니다. 진우가 뽑은 번호표에
적힌 수는 무엇일까요?

연수는 구슬을 **80**개 가지고 있고 민아는 연수보다 **1**개 적게 가지고 있습니다.
민아가 가진 구슬은 몇 개일까요?

개

학생들이 한 줄로 서 있습니다. 민우는 **76**번째, 서하는 **78**번째에 서 있고
지후는 민우와 서하 사이에 서 있습니다. 지후는 몇 번째에 서 있을까요?

번째

■ 물음에 답하세요.

사과가 10개씩 묶음 5개와 낱개 8개가 있습니다. 배는 사과보다 10개씩 묶음이 1개 더 있습니다. 배는 모두 몇 개일까요?

개

연우는 책을 94쪽 읽었고 하은이는 연우보다 1쪽 적게 읽었습니다. 하은이는 책을 몇 쪽 읽었을까요?

쪽

문구점에 연필이 73자루 있습니다. 색연필은 연필보다 1자루 더 많고, 볼펜은 연필보다 1자루 적습니다. 색연필과 볼펜은 각각 몇 자루 있을까요?

색연필 자루   볼펜 자루

소미는 밤을 59개 땄습니다. 선우는 소미보다 밤을 1개 더 땄고 지호는 선우보다 밤을 1개 더 땄습니다. 선우와 지호는 밤을 각각 몇 개 땄을까요?

선우 개   지호 개

■ 둘씩 짝을 지어 보고 알맞은 말에 ◯표 하세요.

(짝수 , ⬭홀수)

(짝수 , 홀수)

(짝수 , 홀수)

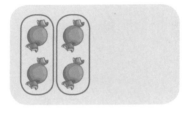

(짝수 , 홀수)

(짝수 , 홀수)

(짝수 , 홀수)

(짝수 , 홀수)

(짝수 , 홀수)

(짝수 , 홀수)

★ 짝수와 홀수

2, 4, 6, 8, 10과 같이 둘씩 짝을 지을 수 있는 수를 짝수라고 합니다.

1, 3, 5, 7, 9와 같이 둘씩 짝을 지을 수 없는 수를 홀수라고 합니다.

2, 4, 6, 8, 0으로 끝나는 수는 짝수, 1, 3, 5, 7, 9로 끝나는 수는 홀수입니다.

■ 짝수에 ○표, 홀수에 △표 하세요.

△1	②2	△3	④4	5	6	7	8	9	10
11	12	13	14	15	16	17	18	19	20

21	22	23	24	25
26	27	28	29	30

31	32	33	34	35
36	37	38	39	40

13	16	20	21

36	39	52	47

29	31	44	34

38	29	36	41

40	19	27	32

33	48	43	50

■ 알맞은 말에 ⬭표 하세요.

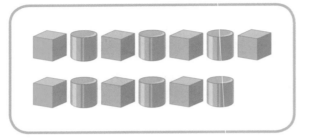

■ 모양의 수는 (짝수 , 홀수)입니다.

■ 모양의 수는 (짝수 , 홀수)입니다.

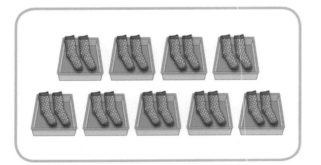

양말의 수는 (짝수 , 홀수)입니다.

상자의 수는 (짝수 , 홀수)입니다.

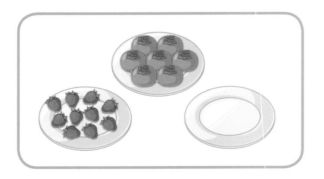

감의 수는 (짝수 , 홀수)입니다.

딸기의 수는 (짝수 , 홀수)입니다.

접시의 수는 (짝수 , 홀수)입니다.

5주차 수의 크기 비교

21강 두 수의 크기 비교 (1)

■ 수만큼 색칠하고 빈칸에 알맞은 수를 써넣으세요.

54

63

| 63 | 은 | 54 | 보다 큽니다. |

10개씩 묶음이 더 많은 수가 큰 수입니다.

| | 는 | | 보다 작습니다. |

★ < 와 >

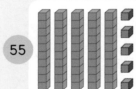

55

58

— 54 — 55 — 56 — 57 — 58 — 59 —

10개씩 묶음이 같으면 낱개가 많은 수가 큰 수입니다.

순서대로 썼을 때 오른쪽에 있는 수가 더 큰 수입니다.

"55는 58보다 작습니다"를 55<58과 같이 씁니다.

"58은 55보다 큽니다"를 58>55와 같이 씁니다.

■ ○ 안에 >, <를 알맞게 써넣고 알맞은 말에 ⃝표 하세요.

80 ◯ 83

80은 83보다 (큽니다 , 작습니다).

83은 80보다 (큽니다 , 작습니다).

64 ◯ 70

64는 70보다 (큽니다 , 작습니다).

70은 64보다 (큽니다 , 작습니다).

96 ◯ 85

96은 85보다 (큽니다 , 작습니다).

85는 96보다 (큽니다 , 작습니다).

59 ◯ 72

59는 72보다 (큽니다 , 작습니다).

72는 59보다 (큽니다 , 작습니다).

87 ◯ 78

87은 78보다 (큽니다 , 작습니다).

78은 87보다 (큽니다 , 작습니다).

○ 안에 >, <를 알맞게 써넣으세요.

50 ◯ 40　　　　61 ◯ 71

75 ◯ 72　　　　86 ◯ 87

49 ◯ 50　　　　62 ◯ 51

96 ◯ 92　　　　73 ◯ 69

88 ◯ 97　　　　56 ◯ 62

95 ◯ 59　　　　67 ◯ 73

□ 안에 들어갈 수 있는 수에 모두 ○표 하세요.

7□ < 74

1   2   3   4   5

3□ > 36

5   6   7   8   9

수를 하나씩 넣어 보며 식이 맞는지 확인합니다.

31 > □2

1   2   3   4   5

79 < □7

5   6   7   8   9

65 < 6□

1   2   3   4   5   6   7   8   9

56 > □4

1   2   3   4   5   6   7   8   9

48 < □6

1   2   3   4   5   6   7   8   9

23강 보다 큰 수, 보다 작은 수

■ 조건에 맞는 수에 모두 ◯표 하세요.

78보다 큰 수

| 74 | 90 | 85 | 69 | 79 |

63보다 작은 수

| 54 | 65 | 60 | 72 | 62 |

56보다 크고 62보다 작은 수

| 56 | 61 | 64 | 58 | 57 |

89보다 크고 95보다 작은 수

| 90 | 95 | 92 | 94 | 97 |

74와 81 사이의 수

| 72 | 81 | 75 | 80 | 78 |

📘 빈칸에 알맞은 수를 써넣으세요.

37   41   25   46

40보다 작은 수   [ ] < [ ]

40보다 큰 수   [ ] < [ ]

40보다 작은 수: 37, 25
40보다 큰 수: 41, 46

70   66   59   62

65보다 작은 수   [ ] < [ ]

65보다 큰 수   [ ] < [ ]

75   70   63   80

73보다 작은 수   [ ] < [ ]

73보다 큰 수   [ ] < [ ]

83   90   79   93

89보다 작은 수   [ ] < [ ]

89보다 큰 수   [ ] < [ ]

수 카드로 수 만들기

🔷 수 카드 2장으로 몇십몇을 만듭니다. 큰 수와 작은 수를 만들어 보세요.

| 4 | 6 |

4, 6으로 46과 64를 만들 수 있습니다.

큰 수
64

작은 수

| 7 | 3 |

큰 수

작은 수

| 1 | 8 |

큰 수

작은 수

| 7 | 5 |

큰 수

작은 수

| 4 | 5 |

큰 수

작은 수

| 8 | 9 |

큰 수

작은 수

수 카드 2장을 골라 몇십몇을 만듭니다. 가장 큰 수와 가장 작은 수를 만들어 보세요.

| 3 | 4 | 5 |

가장 큰 수   가장 작은 수

10개씩 묶음의 수가 클수록 큰 수입니다.

| 5 | 1 | 8 |

가장 큰 수   가장 작은 수

| 9 | 4 | 3 |

가장 큰 수   가장 작은 수

| 6 | 5 | 7 |

가장 큰 수   가장 작은 수

| 7 | 2 | 5 |

가장 큰 수   가장 작은 수

| 6 | 8 | 9 |

가장 큰 수   가장 작은 수

🗂 물음에 답하세요.

연필은 **56**자루, 지우개는 **62**개 있습니다. 연필과 지우개 중 더 많은 것은 무엇일까요?

`56<62`

(   )

재은이는 색종이를 **86**장 가지고 있고 선호는 **83**장 가지고 있습니다. 색종이를 더 적게 가지고 있는 사람은 누구일까요?

(   )

예나는 붙임 딱지를 **90**장 모았고 기준이는 **86**장 모았습니다. 붙임 딱지를 더 많이 모은 사람은 누구일까요?

(   )

승기는 종이배를 **64**개 접었고 은하는 **71**개 접었습니다. 종이배를 더 적게 접은 사람은 누구일까요?

(   )

■ 물음에 답하세요.

농장에서 사과를 하음이는 **54**개, 주원이는 **62**개, 시하는 **59**개 땄습니다.
사과를 가장 많이 딴 사람은 누구일까요?

(   )

지연이는 책을 **73**쪽 읽었고 동준이는 **75**쪽, 민서는 동준이보다 **1**쪽 적게
읽었습니다. 책을 가장 적게 읽은 사람은 누구일까요?

(   )

동물원에 오리가 **62**마리, 펭귄이 **58**마리, 홍학이 **61**마리 있습니다.
가장 적은 동물부터 순서대로 이름을 써 보세요.

(,   ,   )

색종이를 상은이는 **86**장, 지호는 **91**장 가지고 있습니다. 민준이는 상은이
보다 **1**장 더 많이 가지고 있습니다. 색종이를 가장 많이 가진 사람부터 순서
대로 이름을 써 보세요.

(,   ,   )

■ 설명을 읽고 알맞은 수를 구해 보세요.

- 10개씩 묶음이 2개입니다.
- 26보다 큽니다.
- 짝수입니다.

(   )

- 10개씩 묶음이 8개입니다.
- 83보다 작습니다.
- 홀수입니다.

(   )

- 51보다 큽니다.
- 55보다 작습니다.
- 홀수입니다.

(   )

- 72보다 작습니다.
- 69보다 큽니다.
- 짝수입니다.

(   )

- 60보다 큽니다.
- 70보다 작습니다.
- 낱개가 3개입니다.

(   )

- 38과 43 사이의 수입니다.
- 40보다 큽니다.
- 홀수입니다.

(   )

정답

정답

01강 몇십

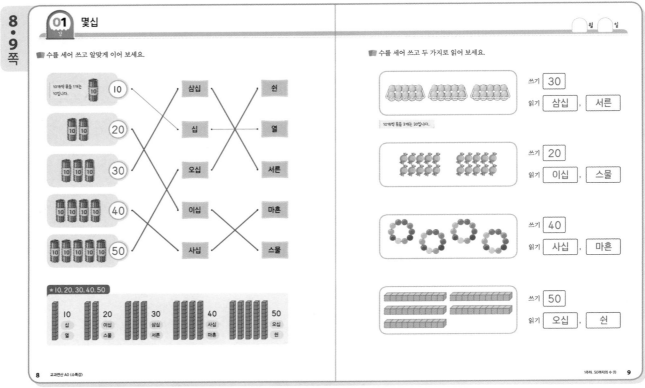

02강 몇십몇

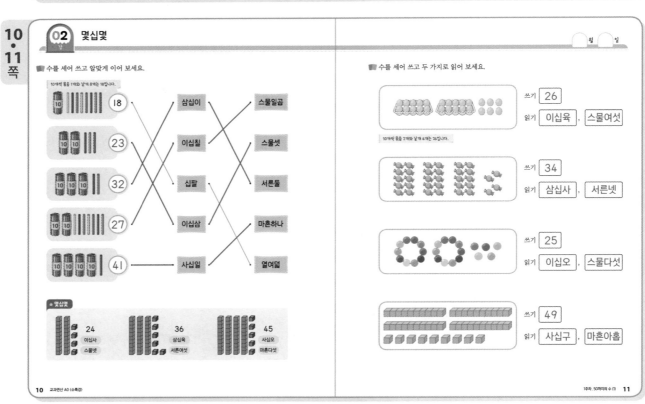

03 10개씩 묶음과 낱개 (1)

월   일

빈칸에 알맞은 수를 써넣으세요.

10개씩 묶음 2개와 낱개 3개는 23 입니다.

10개씩 묶음 3 개와 낱개 7 개는 37 입니다.

10개씩 묶음 4개와 낱개 1개는 41 입니다.

10개씩 묶음 2개와 낱개 9개는 29 입니다.

10개씩 묶음 5개는 50 입니다.

빈칸에 알맞은 수 또는 말을 써넣으세요.

수	10개씩 묶음	낱개	읽기	
16	1	6	십육	열여섯
22	2	2	이십이	스물둘
35	3	5	삼십오	서른다섯
47	4	7	사십칠	마흔일곱

수	10개씩 묶음	낱개	읽기	
38	3	8	삼십팔	서른여덟
24	2	4	이십사	스물넷
31	3	1	삼십일	서른하나
49	4	9	사십구	마흔아홉

04 개수 세기

월   일

수를 세어 보세요.

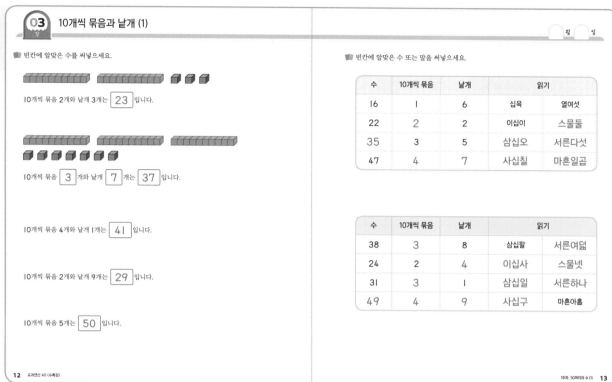

낱개가 10개보다 많으면 낱개를
10개씩 묶은 다음 셉니다.

25

23

32

34

29

27

는 몇 개인지 세어 보세요.

33 개

24 개

25 개

28 개

10개씩 묶어서 세어 봅니다.

16
·
17
쪽

05 10개씩 묶음과 낱개 (2)

월 일

📖 물음에 답하세요.

오이가 10개씩 묶음이 3개, 낱개가 7개 있습니다.
오이는 모두 몇 개일까요?

37 개

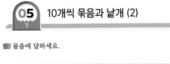

찬영이는 색종이를 10장씩 묶음 2묶음과 낱개 5장을 가지고 있습니다. 찬영이가 가진 색종이는 모두 몇 장일까요?

25 장

사과가 10개씩 들어 있는 상자가 4상자 있습니다.
사과는 모두 몇 개 있을까요?

40 개

책이 10권씩 들어 있는 상자가 1상자, 낱개로 3권 있습니다. 책은 모두 몇 권일까요?

13 권

사탕이 한 봉지에 10개씩 들어 있습니다. 세 봉지에 들어 있는 사탕은 모두 몇 개일까요?

30 개

📖 빈칸에 알맞은 수를 써넣으세요.

달걀이 30개 있습니다. 달걀을 10개씩 상자에 담으면 모두 3 상자 나옵니다.

구슬이 20개 있습니다. 구슬을 10개씩 상자에 담으면 모두 2 상자 나옵니다.

귤이 24개 있습니다. 귤을 10개씩 상자에 담으면
모두 2 상자 나오고 귤은 4 개 남습니다.

18
쪽

📖 블록으로 다음 모양을 몇 개 만들 수 있는지 빈칸에 알맞은 수를 써넣으세요.

3 개 만들 수 있습니다.
모양 1개를 만드는 데 블록 10개가 필요합니다. 블록 30개로 모양 3개를 만들 수 있습니다.

4 개 만들 수 있습니다.
모양 1개를 만드는 데 블록 10개가 필요합니다. 블록 40개로 모양 4개를 만들 수 있습니다.

2 개 만들고 블록은 7 개 남습니다.
모양 1개를 만드는 데 블록 10개가 필요합니다. 블록 27개로 모양 2개를 만들고 블록은 7개 남습니다.

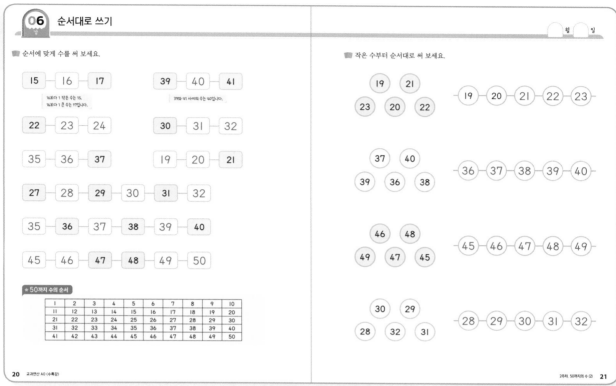

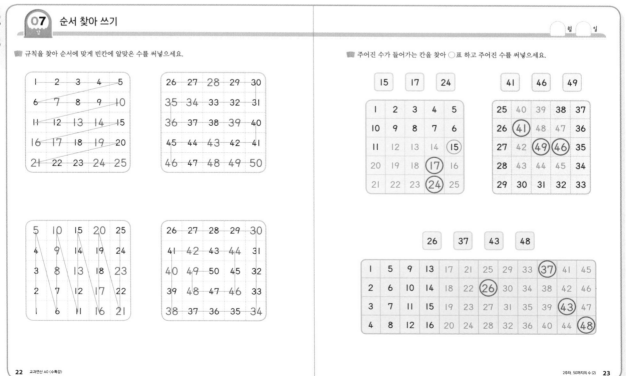

24·25쪽

08 두 수의 크기 비교

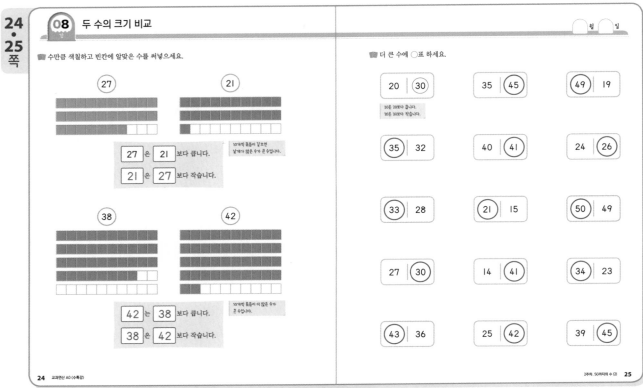

26·27쪽

09 가장 큰 수

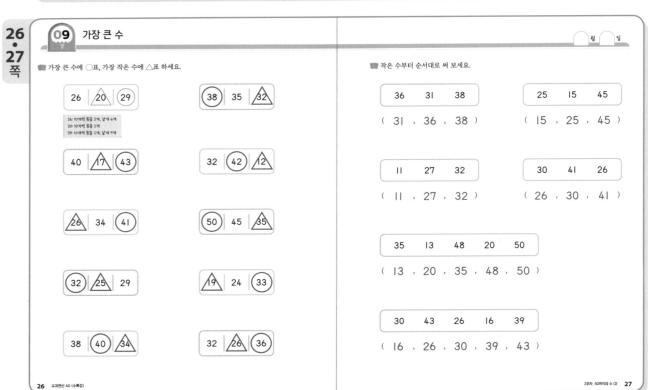

28 • 29쪽

10강 보다 큰 수, 보다 작은 수

월 일

조건에 맞는 수에 모두 색칠해 보세요.

22보다 큰 수

20 21 22 **23** **24**

22보다 큰 수에는 22가 포함되지 않습니다.

31보다 작은 수

28 **29** **30** 31 32

10개씩 묶음 1개와 낱개 9개인 수보다 큰 수

18 19 **20** **21** **22**

10개씩 묶음 1개와 낱개 9개인 수는 19입니다.

10개씩 묶음 3개와 낱개 2개인 수보다 작은 수

30 **31** 32 33 34

45보다 크고 50보다 작은 수

41 42 43 44 45 **46** **47** **48** **49** 50

37보다 크고 43보다 작은 수

35 36 37 **38** **39** **40** **41** **42** 43 44

조건에 맞는 수에 모두 ○표 하세요.

조건	수
35보다 큰 수	31 33 35 (37) (40)
42보다 작은 수	43 (36) (40) (39) 45
10개씩 묶음 2개와 낱개 8개인 수보다 큰 수	25 28 (31) (29) 27
10개씩 묶음 3개와 낱개 5개인 수보다 작은 수	35 (29) 36 41 (34)
26보다 크고 33보다 작은 수	25 (32) 34 (30) (27)

30쪽

물음에 답하세요.

우주는 색종이를 18장 가지고 있고 서아는 21장 가지고 있습니다. 색종이를 더 많이 가진 사람은 누구일까요?

(서아)

진원이는 사탕을 10개씩 묶음 2개와 낱개 7개를 가지고 있고 윤수는 30개 가지고 있습니다. 사탕을 더 많이 가지고 있는 사람은 누구일까요?

(윤수)

지우는 수 38을 말했고 연서는 40보다 1 작은 수를 말했습니다. 더 큰 수를 말한 사람은 누구일까요?

(연서)

다예는 과자를 24개보다 1개 더 많이 먹었고 수호는 25개보다 1개 적게 먹었습니다. 과자를 더 많이 먹은 사람은 누구일까요?

(다예)

정답

11강 몇십

■ 빈칸에 알맞은 수를 써넣으세요.

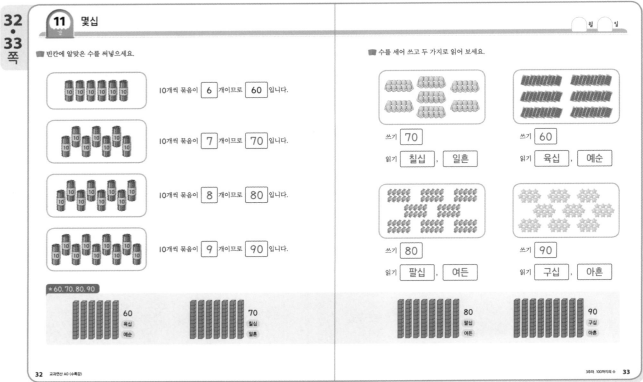

10개씩 묶음이 **6** 개이므로 **60** 입니다.

10개씩 묶음이 **7** 개이므로 **70** 입니다.

10개씩 묶음이 **8** 개이므로 **80** 입니다.

10개씩 묶음이 **9** 개이므로 **90** 입니다.

★ 60. 70. 80. 90

60 육십 예순

70 칠십 일흔

■ 수를 세어 쓰고 두 가지로 읽어 보세요.

쓰기 **70** 읽기 **칠십** , **일흔**

쓰기 **60** 읽기 **육십** , **예순**

쓰기 **80** 읽기 **팔십** , **여든**

쓰기 **90** 읽기 **구십** , **아흔**

80 팔십 여든

90 구십 아흔

12강 몇십몇

■ 빈칸에 알맞은 수를 써넣으세요.

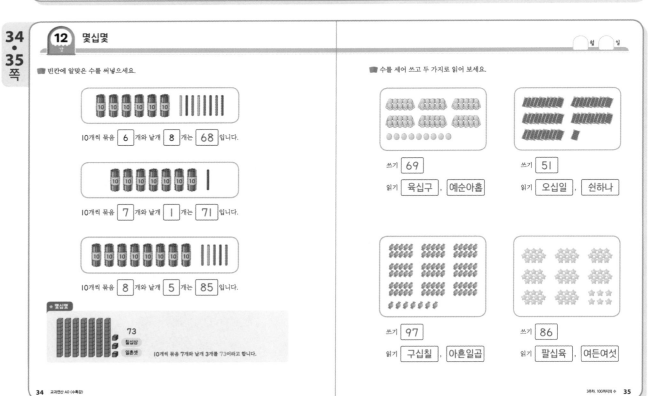

10개씩 묶음 **6** 개와 낱개 **8** 개는 **68** 입니다.

10개씩 묶음 **7** 개와 낱개 **1** 개는 **71** 입니다.

10개씩 묶음 **8** 개와 낱개 **5** 개는 **85** 입니다.

★ 몇십몇

73 칠십삼 일흔셋

10개씩 묶음 7개와 낱개 3개를 73이라고 합니다.

■ 수를 세어 쓰고 두 가지로 읽어 보세요.

쓰기 **69** 읽기 **육십구** , **예순아홉**

쓰기 **51** 읽기 **오십일** , **쉰하나**

쓰기 **97** 읽기 **구십칠** , **아흔일곱**

쓰기 **86** 읽기 **팔십육** , **여든여섯**

13 수 읽기

월 일

■ 빈칸에 알맞은 수 또는 말을 써넣으세요.

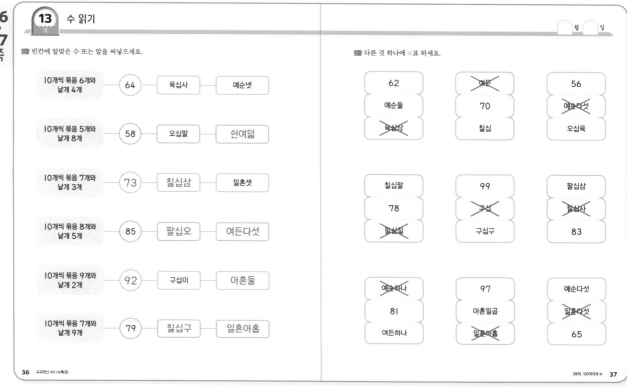

10개씩 묶음 6개와 낱개 4개 — 64 — 육십사 | 예순넷
10개씩 묶음 5개와 낱개 8개 — 58 — 오십팔 | 쉰여덟
10개씩 묶음 7개와 낱개 3개 — 73 — 칠십삼 | 일흔셋
10개씩 묶음 8개와 낱개 5개 — 85 — 팔십오 | 여든다섯
10개씩 묶음 9개와 낱개 2개 — 92 — 구십이 | 아흔둘
10개씩 묶음 7개와 낱개 9개 — 79 — 칠십구 | 일흔아홉

■ 다른 것 하나에 ×표 하세요.

62	여든 ✕	56
예순둘	70	예순다섯 ✕
육십삼 ✕	칠십	오십육

칠십팔	99	팔십삼
78	구섯 ✕	팔십사 ✕
팔십칠 ✕	구십구	83

예순하나 ✕	97	예순다섯
81	아흔일곱	일흔다섯 ✕
여든하나	일흔아홉 ✕	65

14 묶음과 낱개

월 일

■ 빈칸에 알맞은 수를 써넣으세요.

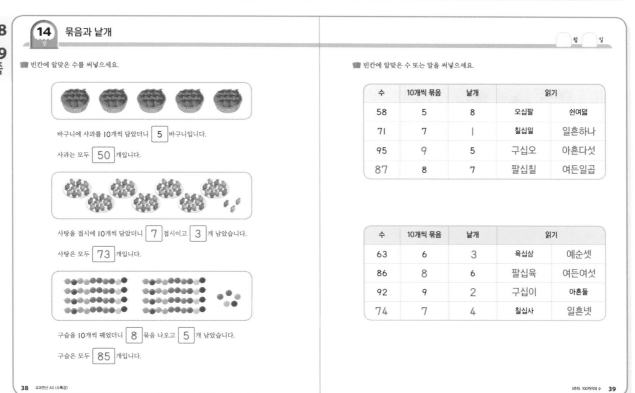

바구니에 사과를 10개씩 담았더니 5 바구니입니다.

사과는 모두 50 개입니다.

사탕을 접시에 10개씩 담았더니 7 접시이고 3 개 남았습니다.

사탕은 모두 73 개입니다.

구슬을 10개씩 꿰었더니 8 묶음 나오고 5 개 남았습니다.

구슬은 모두 85 개입니다.

■ 빈칸에 알맞은 수 또는 말을 써넣으세요.

수	10개씩 묶음	낱개	읽기	
58	5	8	오십팔	쉰여덟
71	7	1	칠십일	일흔하나
95	9	5	구십오	아흔다섯
87	8	7	팔십칠	여든일곱

수	10개씩 묶음	낱개	읽기	
63	6	3	육십삼	예순셋
86	8	6	팔십육	여든여섯
92	9	2	구십이	아흔둘
74	7	4	칠십사	일흔넷

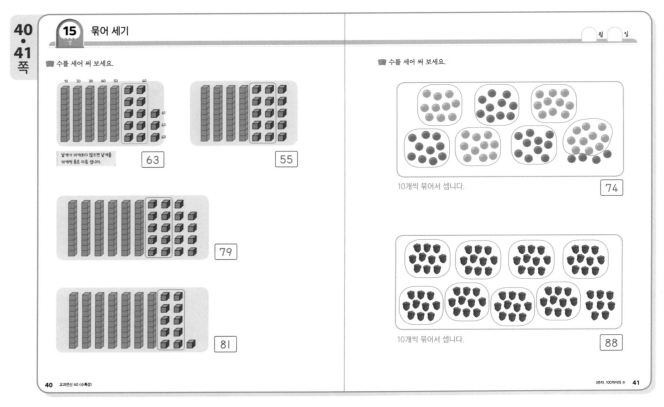

40·41쪽

15 묶어 세기

월 일

■ 수를 세어 써 보세요.

63

55

날개가 10개보다 많으면 날개를 10개씩 묶은 다음 셉니다.

79

81

■ 수를 세어 써 보세요.

10개씩 묶어서 셉니다.　74

10개씩 묶어서 셉니다.　88

42쪽

■ 풍선과 구슬의 수를 세어 써 보세요.

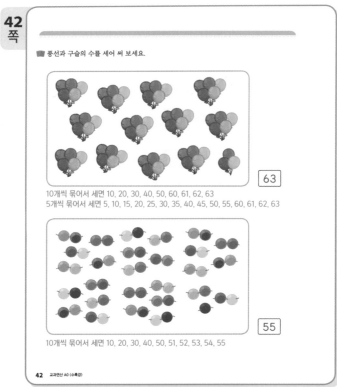

63

10개씩 묶어서 세면 10, 20, 30, 40, 50, 60, 61, 62, 63
5개씩 묶어서 세면 5, 10, 15, 20, 25, 30, 35, 40, 45, 50, 55, 60, 61, 62, 63

55

10개씩 묶어서 세면 10, 20, 30, 40, 50, 51, 52, 53, 54, 55

16 1 큰 수, 1 작은 수

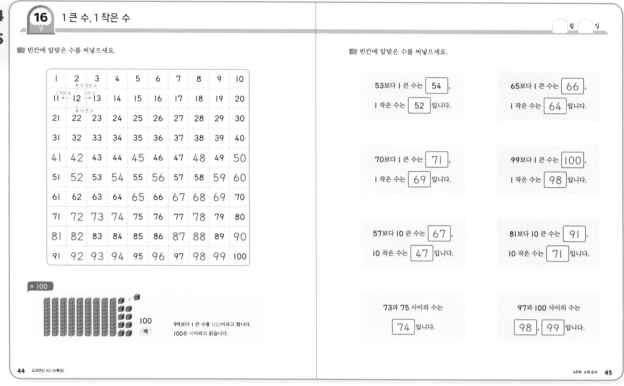

17 순서대로 쓰기

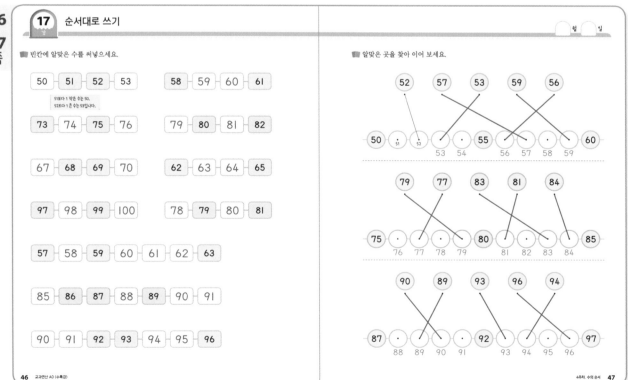

정답

48 · 49 쪽

18강 거꾸로 쓰기

월 일

📖 빈칸에 알맞은 수를 써넣으세요.

63 — **62** — **61** — 60   57 — **56** — 55 — **54**

72 — 71 — **70** — 69   86 — 85 — 84 — 83

69 — **68** — **67** — 66   80 — 79 — 78 — **77**

91 — 90 — **89** — 88   100 — 99 — **98** — 97

64 — 63 — 62 — **61** — 60 — 59 — **58**

81 — **80** — 79 — 78 — **77** — 76 — 75

99 — 98 — **97** — **96** — **95** — 94 — 93

📖 알맞은 곳을 찾아 이어 보세요.

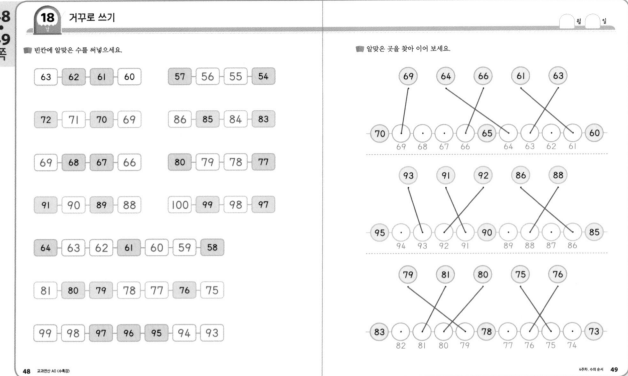

4주차. 수의 순서 49

50 · 51 쪽

19강 이야기하기

월 일

📖 물음에 답하세요.

민준이는 어제 줄넘기를 60번 넘었고 오늘은 어제보다 1개 더 넘었습니다. 민준이는 오늘 줄넘기를 몇 번 넘었을까요?

60보다 1 큰 수는 61입니다.   **61** 번

진우는 은행에서 번호표를 89번 다음으로 뽑았습니다. 진우가 뽑은 번호표에 적힌 수는 무엇일까요?

90

연수는 구슬을 80개 가지고 있고 민아는 연수보다 1개 적게 가지고 있습니다. 민아가 가진 구슬은 몇 개일까요?

79 개

학생들이 한 줄로 서 있습니다. 민우는 76번째, 서하는 78번째에 서 있고 지후는 민우와 서하 사이에 서 있습니다. 지후는 몇 번째에 서 있을까요?

77 번째

📖 물음에 답하세요.

사과가 10개씩 묶음 5개와 낱개 8개가 있습니다. 배는 사과보다 10개씩 묶음이 1개 더 있습니다. 배는 모두 몇 개일까요?

68 개

연우는 책을 94쪽 읽었고 하온이는 연우보다 1쪽 적게 읽었습니다. 하온이는 책을 몇 쪽 읽었을까요?

93 쪽

문구점에 연필이 73자루 있습니다. 색연필은 연필보다 1자루 더 많고, 볼펜은 연필보다 1자루 적습니다. 색연필과 볼펜은 각각 몇 자루 있을까요?

색연필 **74** 자루   볼펜 **72** 자루

소미는 밤을 59개 땄습니다. 선우는 소미보다 밤을 1개 더 땄고 지호는 선우보다 밤을 1개 더 땄습니다. 선우와 지호는 밤을 각각 몇 개 땄을까요?

선우 **60** 개   지호 **61** 개

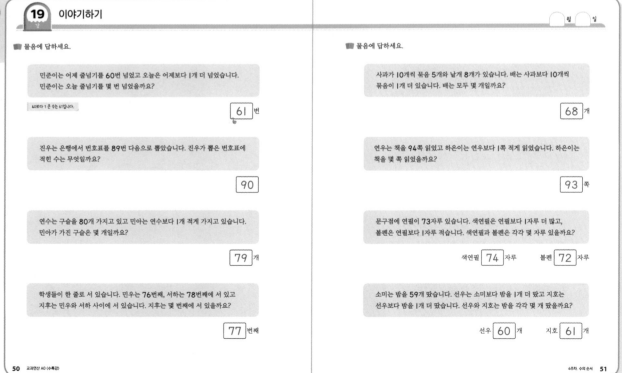

4주차. 수의 순서 51

12 교과연산 A0 〈수특강〉

20 짝수와 홀수

■ 둘씩 짝을 지어 보고 알맞은 말에 ◯표 하세요.

■ 짝수에 ◯표, 홀수에 △표 하세요.

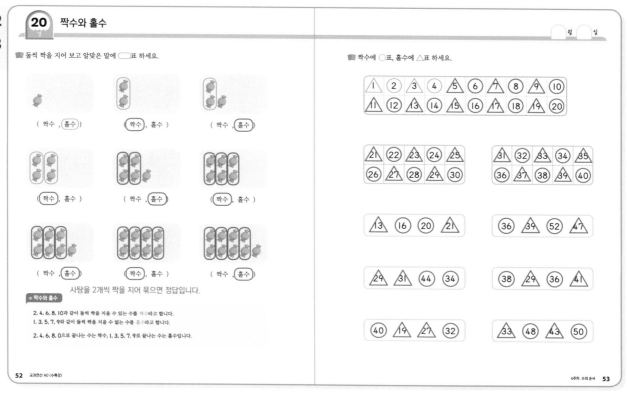

사탕을 2개씩 짝을 지어 묶으면 정답입니다.

★ 짝수와 홀수

2, 4, 6, 8, 10과 같이 둘씩 짝을 지을 수 있는 수를 짝수라고 합니다.

1, 3, 5, 7, 9와 같이 둘씩 짝을 지을 수 없는 수를 홀수라고 합니다.

2, 4, 6, 8, 0으로 끝나는 수는 짝수, 1, 3, 5, 7, 9로 끝나는 수는 홀수입니다.

■ 알맞은 말에 ◯표 하세요.

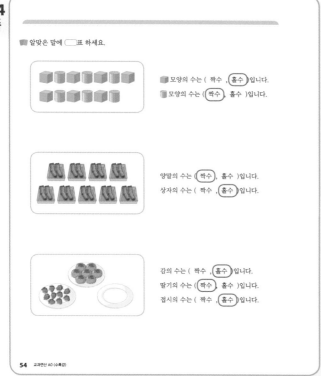

■ 모양의 수는 (짝수 , 홀수)입니다.
■ 모양의 수는 (짝수 , 홀수)입니다.

양말의 수는 (짝수 , 홀수)입니다.
상자의 수는 (짝수 , 홀수)입니다.

감의 수는 (짝수 , 홀수)입니다.
딸기의 수는 (짝수 , 홀수)입니다.
접시의 수는 (짝수 , 홀수)입니다.

56·57쪽

21강 두 수의 크기 비교 (1)

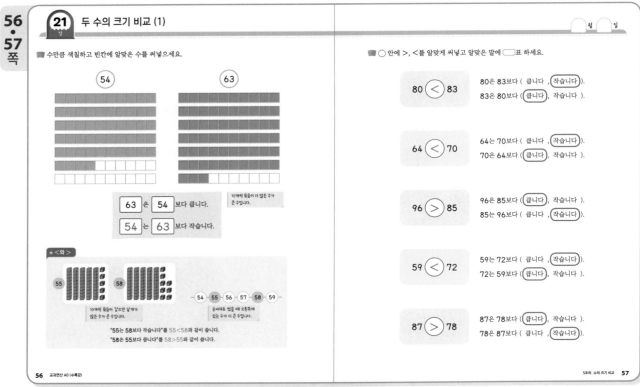

58·59쪽

22강 두 수의 크기 비교 (2)

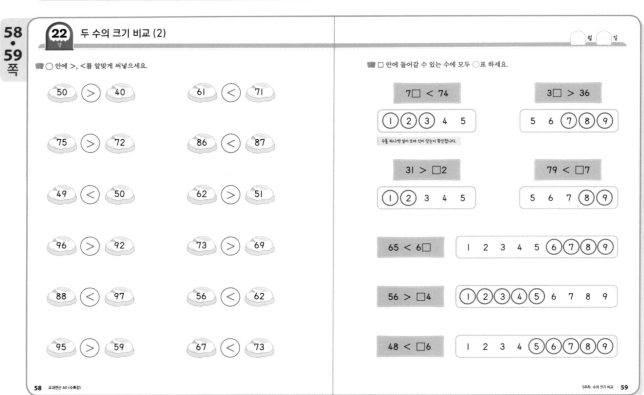

14   교과연산 A0 〈수특강〉

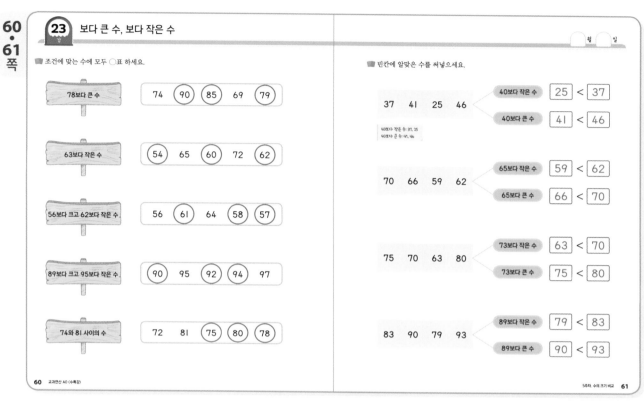

정답

 25강 이야기하기

월 일

🗒 물음에 답하세요.

연필은 56자루, 지우개는 62개 있습니다. 연필과 지우개 중 더 많은 것은 무엇일까요?

56<62

(지우개)

재은이는 색종이를 86장 가지고 있고 선호는 83장 가지고 있습니다. 색종이를 더 적게 가지고 있는 사람은 누구일까요?

(선호)

예나는 붙임 딱지를 90장 모았고 기준이는 86장 모았습니다. 붙임 딱지를 더 많이 모은 사람은 누구일까요?

(예나)

승기는 종이배를 64개 접었고 은하는 71개 접었습니다. 종이배를 더 적게 접은 사람은 누구일까요?

(승기)

🗒 물음에 답하세요.

농장에서 사과를 하음이는 54개, 주원이는 62개, 시하는 59개 땄습니다. 사과를 가장 많이 딴 사람은 누구일까요?

(주원)

지연이는 책을 73쪽 읽었고 동준이는 75쪽, 민서는 동준이보다 1쪽 적게 읽었습니다. 책을 가장 적게 읽은 사람은 누구일까요?

(지연)

동물원에 오리가 62마리, 펭귄이 58마리, 홍학이 61마리 있습니다. 가장 적은 동물부터 순서대로 이름을 써 보세요.

(펭귄 , 홍학 , 오리)

색종이를 상은이는 86장, 지호는 91장 가지고 있습니다. 민준이는 상은이보다 1장 더 많이 가지고 있습니다. 색종이를 가장 많이 가진 사람부터 순서대로 이름을 써 보세요.

(지호 , 민준 , 상은)

🗒 설명을 읽고 알맞은 수를 구해 보세요.

· 10개씩 묶음이 2개입니다.
· 26보다 큽니다.
· 짝수입니다.

(28)

· 10개씩 묶음이 8개입니다.
· 83보다 작습니다.
· 홀수입니다.

(81)

· 51보다 큽니다.
· 55보다 작습니다.
· 홀수입니다.

(53)

· 72보다 작습니다.
· 69보다 큽니다.
· 짝수입니다.

(70)

· 60보다 큽니다.
· 70보다 작습니다.
· 낱개가 3개입니다.

(63)

· 38과 43 사이의 수입니다.
· 40보다 큽니다.
· 홀수입니다.

(41)

하루 한 장 75일
집중 완성

교과 연산

"연산을 이해하려면 수를 먼저 이해해야 합니다."

"계산은 문제를 해결하는 하나의 과정입니다."

"교과연산은 상황을 판단하는 능력을 길러주는 연산입니다."